folio benjamin

TRADUCTION DE JEAN-FRANÇOIS MÉNARD

ISBN : 2-07-054925-9
Titre original : *Mouse Trouble*
Publié pour la première fois par Hamish Hamilton, Londres

Numéro d'édition : 04709
Loi n° 46-956 du 16 juillet 1949
sur les publications destinées à la jeunesse
Dépôt légal : février 2002
Imprimé en Italie par Editoriale Lloyd
Réalisation Octavo

John Yeoman · Quentin Blake

Le chat ne sachant pas chasser

GALLIMARD JEUNESSE

Il y a très longtemps, un vieux moulin se dressait au sommet d'une colline. Au temps de sa jeunesse, ce moulin avait une fière allure mais, au moment où commence notre histoire, il se trouvait quelque peu délabré. C'est qu'en effet, le meunier qui en avait hérité ne dépensait pas le moindre liard pour l'entretenir. Ce meunier était d'un naturel grincheux et son mauvais caractère empirait chaque jour. Il y avait à cela une raison : les souris avaient envahi son moulin.

Elles étaient là par centaines et rien ne leur semblait plus plaisant que d'habiter ce vieux moulin. Nullement incommodées par le grincement de la meule, elles prenaient du bon temps en s'en servant comme d'un manège.

Les moyeux qui faisaient tourner
la machinerie leur offraient
l'occasion de se livrer
à toutes sortes d'acrobaties,

et les glissières leur
offraient d'excellents
toboggans.

Elles étaient si heureuses, dans le vieux moulin, que bien souvent, par les nuits de pleine lune, elles se réunissaient autour de leur chef – une souris blanche échappée d'un élevage – pour raconter de bonnes histoires de souris et chanter des chansons de leurs voix perçantes.

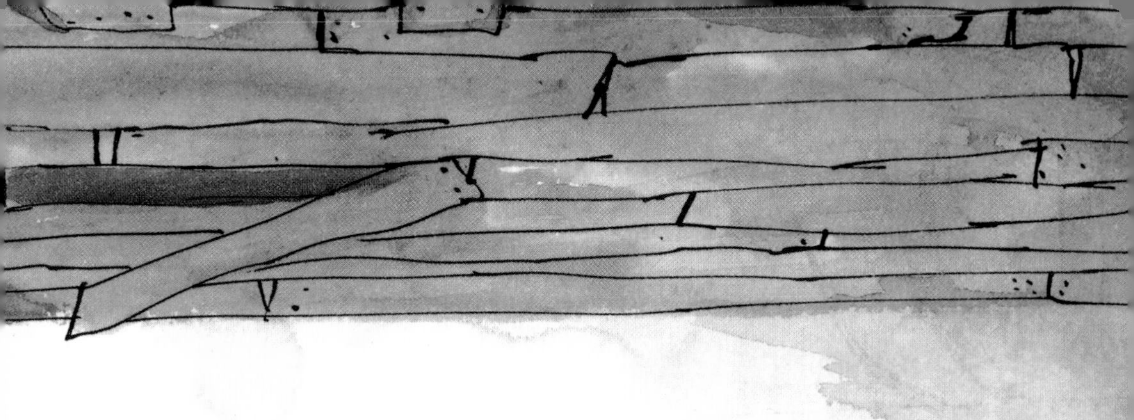

Bien qu'il n'eût jamais vu les souris,
le meunier grincheux savait qu'elles étaient là.
Il lui suffisait de voir leurs traces de pattes
sur le sol, ses sacs grignotés, ou d'entendre
dans la nuit leurs chansons.

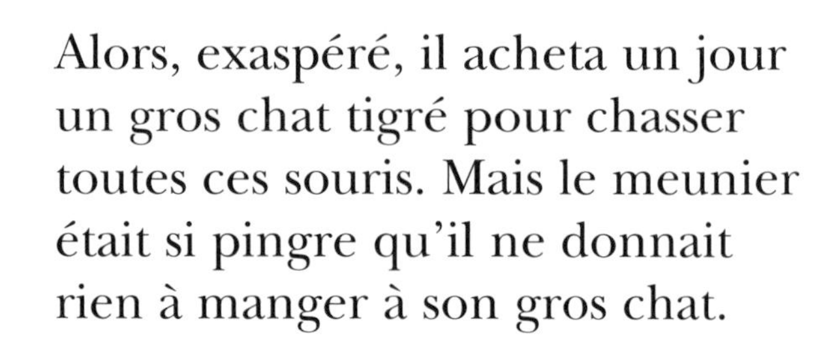

Alors, exaspéré, il acheta un jour un gros chat tigré pour chasser toutes ces souris. Mais le meunier était si pingre qu'il ne donnait rien à manger à son gros chat.

Et il avait si mauvais caractère qu'il le frappait souvent à coups de pied. Alors, le chat, tout triste, allait se morfondre dans un coin ; il savait bien qu'il n'était pas très doué pour chasser les souris.

Les souris, quant à elles, étaient fort chagrinées de voir ce chat si malheureux. La souris blanche, leur chef, convoqua alors une assemblée générale.

– Ce chat a besoin de prendre un peu d'exercice, dit-elle, il faut l'aider à nous chasser.

– Et cela servira à quoi ? demanda une petite souris dodue.

– Il sera en meilleure santé, plus heureux, dit la souris blanche, et il nous donnera de bonnes occasions de nous amuser.

Tout le monde l'approuva avec enthousiasme.

Elles commencèrent alors à rendre la vie du chat plus mouvementée. Parfois, elles s'asseyaient sur les ailes du moulin et lui faisaient des grimaces en passant devant la fenêtre contre laquelle il aimait se réfugier.

Il leur arrivait aussi de le couvrir de poussière de farine qu'elles lui renversaient sur le dos. Et souvent les souris les plus jeunes se laissaient pourchasser par lui en faisant semblant d'être terrorisées, pour que le chat reprenne un peu confiance en lui.

Tous ces jeux ne tardèrent pas à avoir de l'effet. Le chat reprit goût à la vie. Un jour, la souris blanche le surprit en train de s'entraîner devant un miroir.

D'abord, il s'exerça à se glisser sans le moindre bruit près d'un tournevis qu'il utilisait en guise de souris.

Puis il s'exerça à bondir férocement sur sa proie.

Ensuite, il s'exerça à recevoir
les félicitations de son maître.

Fort contente de le voir ainsi à l'œuvre,
la souris blanche, pour l'encourager,
dit d'une voix forte :
– Ciel ! Voilà un chat redoutable !
Je me sens défaillir !
Puis elle s'enfuit en toute hâte.

À mesure que les jours passaient, le chat montrait de plus en plus d'entrain et les souris s'en réjouissaient.
Chaque nuit, lorsque le chat dormait profondément après s'être dépensé sans compter pour faire régner l'ordre dans le moulin, les souris se réunissaient pour fêter leur succès.

Les plus jeunes montaient et descendaient le long des échelles en poussant des cris de joie tandis que les autres s'installaient dans les poches des tabliers pendus aux murs pour applaudir le spectacle. Et les plus vieux pensaient que de leur temps, on s'amusait bien moins qu'à présent. Mais un jour que la souris blanche et deux de ses amies étaient assises sur des sacs de blé en haut du moulin, s'amusant à mettre en pièces de vieux journaux, un hurlement terrible retentit. C'était le meunier furieux qui tonnait ainsi, tenant son chat par la peau du cou. Malgré le bruit de la machinerie et des ailes du moulin, les souris pouvaient entendre ce qu'il disait.

– Espèce de propre à rien ! s'exclamait-il à l'adresse du chat, depuis que je t'ai acheté, il y a plus de souris que jamais ! Tu ne sers à rien et je m'en vais te fourrer dans un grand sac que je jetterai ce soir dans la rivière !
Bouleversées, les souris supplièrent leur chef de faire quelque chose pour empêcher cet assassinat.

La souris blanche, suivie de ses compagnes, se rendit alors dans la remise où le meunier avait déposé le chat enfermé dans son sac. Elle grimpa sur ce qui semblait être l'épaule du matou et s'approcha de ce qui devait être son oreille.
– Bien que nous soyons des ennemis jurés, murmura-t-elle, nous ne voulons pas que le meunier te noie. Si nous t'aidons à t'enfuir nous promets-tu de faire la paix avec nous ?

Le sac hocha la tête en signe d'acquiescement.

– Fort bien, dit la souris blanche, puis elle donna des instructions à ses compagnes. Un groupe de souris menées par leur chef alla décrocher du portemanteau la cape de fourrure de la femme du meunier.

Elles apportèrent ensuite la cape dans la remise.

Lorsqu'elles arrivèrent, d'autres souris avaient déjà délivré le chat en rongeant les liens qui maintenaient le sac fermé.

Ensuite, elles remplirent de paille la cape de fourrure puis apportèrent un fer à cheval pour alourdir le sac. Elles mirent alors la cape et le fer à cheval dans le sac qu'elles refermèrent.

– Cet imbécile de meunier ne s'apercevra de rien, dit la souris blanche.

Le soir même, le meunier prit le sac et s'en alla vers la rivière suivi à son insu par des centaines de souris aux aguets.

S'asseyant sur le parapet du pont qui enjambait la rivière, elles regardèrent le meunier jeter le sac dans l'eau.
– Et voilà ! On n'entendra plus parler de toi, grogna le meunier.
Puis il retourna chez lui, toujours accompagné silencieusement de la troupe nombreuse des souris.

Le meunier, désormais convaincu que les chats étaient inutiles, n'en acheta pas d'autre. Mais il ignorait que le gros chat tigré, plus heureux que jamais, vivait toujours en haut du moulin en compagnie des souris qui lui apportaient toutes sortes de friandises dérobées dans le garde-manger de la maison.

Et tous passaient leur temps à jouer ensemble au chat et à la souris…

L'AUTEUR

Écrivain et poète, **John Yeoman** est l'inspirateur, avec ses histoires drôles et imprévues, de nombreux livres de Quentin Blake. Son imagination fertile et leur intérêt commun pour les contes traditionnels ont donné naissance à des albums pleins de vivacité et d'humour chaleureux, dont *Monsieur Fernand et Mademoiselle Estelle*, *Le Chat ne sachant pas chasser* ou *Allez, les oiseaux !*, publiés par Gallimard Jeunesse. Peut-être la combinaison de leurs talents a-t-elle atteint son joyeux sommet de folie dans *La Maison que Jack a bâtie*, album pour lequel Yeoman fit le texte et même des croquis. Il a encore écrit *La Révolte des lavandières*, paru en Folio Benjamin, *Les Poules*, *L'Alligator et le chacal*... et *Le Coyote et les corbeaux*..., dans la collection Folio Cadet, tous illustrés par Quentin Blake.
John Yeoman a été directeur du Lycée français de Londres pendant vingt ans. Est-il surprenant que quelqu'un qui a enseigné aussi longtemps ait en lui une si intarissable source de malice ?

L'ILLUSTRATEUR

Né en 1932, en Angleterre, **Quentin Blake** publie son premier dessin à l'âge de 16 ans dans le célèbre magazine satirique *Punch*. En 1960, sort son premier livre pour enfants, en tandem avec John Yeoman. Sa collaboration avec Roald Dahl commence en 1978, année de la création de *L'Énorme Crocodile*. Ensemble, ils donneront vie à *Matilda*, *Les Deux Gredins*, *Le Bon Gros Géant*... Quentin Blake écrit et dessine aussi ses propres histoires : *Armeline Fourchedrue*, *Les Cacatoès*, *Clown*, *Le Bateau vert* et tant d'autres. Son œuvre comporte plus de 200 ouvrages d'une variété extraordinaire. Figure emblématique de l'illustration dans le monde entier, admiré par des générations d'illustrateurs, ancien directeur du *Royal College of Art*, il est devenu, en 1999, le premier Ambassadeur-Lauréat du livre pour enfants, une fonction soutenue par le gouvernement britannique et destinée à promouvoir le livre de jeunesse. Quentin Blake partage sa vie entre Londres et sa maison de l'ouest de la France.

folio benjamin

Si tu as aimé cette histoire
de John Yeoman et Quentin Blake,
découvre aussi :

La maison que Jack a bâtie 94

Et dans la même collection :

Les Bizardos 2
La famille Petitplats 38
Le livre de tous les bébés 39
Le livre de tous les écoliers 40
écrits et illustrés par
Allan et Janet Ahlberg
Les Bizardos rêvent de dinosaures 37
écrit par Allan Ahlberg
et illustré par André Amstutz
Madame Campagnol la vétérinaire 42
écrit par Allan Ahlberg
et illustré par Emma Chichester Clark
Ma vie est un tourbillon 41
écrit par Allan Ahlberg
et illustré par Tony Ross
La plante carnivore 43
écrit par Dina Anastasio
et illustré par Jerry Smath
La machine à parler 44
écrit par Miguel Angel Asturias
et illustré par Jacqueline Duhême
Si la lune pouvait parler 4
Un don de la mer 5
écrits par Kate Banks
et illustrés par Georg Hallensleben
De tout mon cœur 95
écrit par Jean-Baptiste Baronian
et illustré par Noris Kern
Le monstre poilu 7
Le retour du monstre poilu 8
Le roi des bons 45
écrits par Henriette Bichonnier
et illustrés par Pef
Les cacatoès 10
Le bateau vert 11
Armeline Fourchedrue 12
Armeline et la grosse vague 46
Zagazou 13
écrits et illustrés par Quentin Blake
**La véritable histoire
des trois petits cochons** 3
illustré par Erik Blegvad
Le Noël de Salsifi 14
Salsifi ça suffit ! 48
écrits et illustrés par Ken Brown
Une histoire sombre, très sombre 15
Crapaud 47
Boule de Noël 96
écrits et illustrés par Ruth Brown
Pourquoi ? 49
écrit par Lindsay Camp
et illustré par Tony Ross
La magie de Noël 73
écrit par Clement Clark Moore
et illustré par Anita Lobel
La batterie de Théophile 50
écrit et illustré par Jean Claverie
J'ai un problème avec ma mère 16
La princesse Finemouche 17
écrits et illustrés par Babette Cole
L'énorme crocodile 18
écrit par Roald Dahl
et illustré par Quentin Blake
**Comment la souris reçoit une pierre
sur la tête et découvre le monde** 66
écrit et illustré par Étienne Delessert
Gruffalo 51
écrit par Julia Donaldson
et illustré par Axel Scheffler
Fini la télévision ! 52
écrit et illustré par Philippe Dupasquier
Je ne veux pas m'habiller 53
écrit par Heather Eyles
et illustré par Tony Ross
Mystère dans l'île 54
écrit par Margaret Frith
et illustré par Julie Durrell
Mathilde et le fantôme 55
écrit par Wilson Gage
et illustré par Marylin Hafner
C'est trop injuste ! 81
écrit par Anita Harper
et illustré par Susan Hellard
La famille Von Raisiné 56
Suzy la sorcière 57
écrits et illustrés par Colin
et Jacqui Hawkins
Trois amis 20
Fier de l'aile 58
Le mariage de Cochonnet 59
écrits et illustrés par Helme Heine

folio benjamin

Chrysanthème 60
Lilly adore l'école ! 61
Oscar 62
écrits et illustrés par Kevin Henkes
La bicyclette hantée 21
écrit par Gail Herman
et illustré par Blanche Sims
Folpaillou 63
écrit par Sandra Horn
et illustré par Ken Brown
Conte N° 1 64
écrit par Eugène Ionesco
et illustré par Étienne Delessert
Le chat et le diable 65
écrit par James Joyce
et illustré par Roger Blachon
Il y a un cauchemar dans mon placard 22
Il y a un alligator sous mon lit 67
écrits et illustrés par Mercer Mayer
Drôle de zoo 68
écrit par Georgess McHargue
et illustré par Michael Foreman
Bernard et le monstre 69
Noirs et blancs 70
écrits et illustrés par David McKee
Le trésor de la momie 23
écrit par Kate McMullan
et illustré par Jeff Spackman
Oh là là ! 19
Fou de football 24
Voyons... 25
But ! 71
Tout à coup ! 72
écrits et illustrés par Colin McNaughton
Mon arbre 74
écrit et illustré par Gerda Muller
Trois histoires pour frémir 75
écrit par Jane O'Connor
et illustré par Brian Karas
La sorcière aux trois crapauds 26
écrit par Hiawyn Oram
et illustré par Ruth Brown
Blaireau a des soucis 76
Princesse Camomille 77
écrits par Hiawyn Oram
et illustrés par Susan Varley
Rendez-moi mes poux ! 9
La belle lisse poire
du prince de Motordu 27
Le petit Motordu 28
Au loup tordu ! 78
Moi, ma grand-mère... 79
Motordu papa 80
écrits et illustrés par Pef
Les aventures de Johnny Mouton 29
écrit et illustré par James Proimos
Pierre et le loup 30
écrit par Serge Prokofiev
et illustré par Erna Voigt
Je veux mon p'tipot ! 31
Je veux une petite sœur ! 32
Le garçon qui criait : « Au loup ! » 33
Adrien qui ne fait rien 82
Attends que je t'attrape ! 83
Je veux grandir ! 84
Je veux manger ! 85
écrits et illustrés par Tony Ross
Amos et Boris 86
Irène la courageuse 87
La surprenante histoire
du docteur De Soto 88
écrits et illustrés par William Steig
Au revoir Blaireau 34
écrit et illustré par Susan Varley
Tigrou 89
écrit et illustré par Charlotte Voake
Vers l'Ouest 90
écrit par Martin Waddell
et illustré par Philippe Dupasquier
Chut, chut, Charlotte ! 1
Le sac à disparaître 35
écrits et illustrés par Rosemary Wells
Alice sourit 91
écrit par Jeanne Willis
et illustré par Tony Ross
Bébé Monstre 92
écrit par Jeanne Willis
et illustré par Susan Varley
Mon bébé 6
écrit et illustré par Jeanette Winter
Blorp sur une étrange planète 36
écrit et illustré par Dan Yaccarino